U0347880
1551820058

中华人民共和国行业标准

铝电解槽带电焊接技术规范

Technical code for welding aluminum reduction cells in full amperage

YS/T 5035 - 2016

主编部门：中 国 有 色 金 属 工 业 协 会
批准部门：中华人民共和国工业和信息化部
施行日期：2 0 1 7 年 1 月 1 日

中国计划出版社

2016 北 京

中华人民共和国行业标准

铝电解槽带电焊接技术规范

YS/T 5035-2016

☆

中国计划出版社出版发行

网址：www.jhpress.com

地址：北京市西城区木樨地北里甲11号国宏大厦C座3层

邮政编码：100038　电话：(010) 63906433（发行部）

三河富华印刷包装有限公司印刷

850mm×1168mm　1/32　1.375印张　32千字

2016年12月第1版　2016年12月第1次印刷

印数1—2000册

☆

统一书号：155182·0058

定价：18.00元

中华人民共和国工业和信息化部

公　告

2016年　第37号

工业和信息化部批准《无损检测仪器　试样　通用技术条件》等425项行业标准(标准编号、名称、主要内容及实施日期见附件1),其中机械行业标准4项、化工行业标准19项、冶金行业标准28项、建材行业标准44项、有色金属行业标准126项、石化行业标准12项、稀土行业标准7项、轻工行业标准59项、船舶行业标准18项、电子行业标准1项、通信行业标准107项;批准《铝合金6063光谱单点标准样品》等9项有色金属行业标准样品(标准样品目录及成分含量表见附件2),现予公布。行业标准样品自发布之日起实施。

以上机械行业标准由机械工业出版社出版,化工行业标准由化工出版社出版,冶金行业标准由冶金工业出版社出版,建材行业标准由建材工业出版社出版,有色金属、稀土行业标准由中国标准出版社出版,有色金属行业工程建设标准由中国计划出版社出版,石化行业标准由中国石化出版社出版,轻工行业标准由中国轻工业出版社出版,船舶行业标准由中国船舶工业综合技术经济研究院组织出版,电子行业标准由工业和信息化部电子工业标准化研究院组织出版,通信行业标准由人民邮电出版社出版,通信行业工程建设标准由北京邮电大学出版社出版。

附件：1.425 项行业标准编号、名称、主要内容等一览表

2.9 项有色金属行业标准样品目录及成分含量表

中华人民共和国工业和信息化部

2016 年 7 月 11 日

附件：

425 项行业标准编号、名称、主要内容等一览表

序号	标准编号	标准名称	标准主要内容	代替标准	采标情况	实施日期
……						
有色行业						
……						
218	YS/T 5035-2016	铝电解槽带电焊接技术规范	为规范铝电解槽带电焊接，做到安全适用、技术先进、经济可靠、确保质量，制定本规范。 本规范适用于大型预焙阳极铝电解槽在系列全电流下，对已停槽的内外部实施钢-钢焊接和铝-铝焊接作业			2017-01-01
……						

前言

本规范是根据工业和信息化部《工业和信息化部办公厅关于印发2013年第一批行业标准制修订计划的通知》(工信厅科〔2013〕48号)及2013-0093T-YS计划的要求,由贵阳铝镁设计研究院有限公司会同有关单位共同编制完成。

本规范在编制过程中,编制组进行了广泛的调查研究,认真总结了铝电解槽带电焊接的实践经验,参考了国内有关标准和国外先进标准,在广泛征求意见的基础上,制定了本规范。

本规范共分8章,主要技术内容包括:总则、术语、引流降磁技术、引流磁补偿装置、控制系统、引流降磁装备安装与拆卸、焊接、质量检验。

本规范由工业和信息化部负责管理,由中国有色金属工业协会提出,由中国有色金属工业工程建设标准规范管理处负责日常管理,由贵阳铝镁设计研究院有限公司负责具体技术内容的解释。本规范在执行过程中如有意见或建议,请寄送贵阳铝镁设计研究院有限公司(地址:贵州省贵阳市观山湖区金朱西路2号;邮政编码:550081),以供今后修订时参考。

本规范主编单位、参编单位、主要起草人和主要审查人:

主编单位:贵阳铝镁设计研究院有限公司

参编单位:沈阳铝镁设计研究院有限公司
十一冶建设集团有限责任公司
中船重工集团第712研究所
遵义铝业股份有限公司
中国科学院自动化研究所
华中科技大学

贵州顺安机电设备有限公司

主要起草人：杨　涛　王紫千　黄　俊　李　猛　乐洪有
曹　斌　王　竞　梁自泽　杨世勇　詹俊春
孙康建

主要审查人：赵庆云　尹怡欣　唐卫青　张　虎　杨　勇
王新华　夏　忠　易智民　刘　钢

目　次

Contents

1 总 则

1.0.1 为规范铝电解槽带电焊接，做到安全适用、技术先进、经济可靠、确保质量，制定本规范。

1.0.2 本规范适用于大型预焙阳极铝电解槽，在系列全电流下对已停槽的内外部实施钢-钢焊接和铝-铝焊接作业。

1.0.3 为保证带电焊接质量和安全，应根据铝电解系列的母线设计、环境条件和运行检修要求，确定引流降磁装备的配置和安装方式。

1.0.4 铝电解槽带电焊接除应符合本规范外，尚应符合国家现行有关标准的规定。

2 术　　语

2.0.1 带电焊接　welding in full ampere

在铝电解系列生产电流下，通过降磁技术与降磁装备将施焊区域的磁感应强度降低至可施焊的要求后，对已停槽的内外部实施的钢-钢焊接和铝-铝焊接作业。

2.0.2 上游槽　upstream cell

位于检修槽进电侧的相邻电解槽。

2.0.3 下游槽　downstream cell

位于检修槽出电侧的相邻电解槽。

2.0.4 引流磁补偿装置　magnetic field compensation device

安装于检修槽与下游槽的通流母线之间、可自动调节电流进行磁场补偿的旁路装置。

2.0.5 电流调节器　current distributor

安装于引流磁补偿装置上的低压、大电流多级可变电阻。

2.0.6 机械开闭机构　the mechanism for disconnecting/connecting current distributor

用于接入或断开电流调节器的辅助装置。

2.0.7 降磁　magnetic induction intensity reduction

降低空间磁场的磁感应强度。

3 引流降磁技术

3.1 一般规定

3.1.1 铝电解槽带电焊接应安装引流降磁装备，并应根据降磁装备中的控制系统要求施焊。引流降磁装备的安装应符合本规范第6章的规定。

3.1.2 钢材料焊接时，必须在磁感应强度不大于80Gs的空间环境下进行。

3.1.3 铝材料焊接时，必须在磁感应强度不大于40Gs的空间环境下进行。

3.2 引流降磁原理

3.2.1 引流降磁技术应利用部分系列电流产生与施焊区域原有磁感应强度方向相反的磁场来削弱施焊区域的磁感应强度。

3.2.2 引流降磁技术应根据施焊区域磁感应强度的变化动态调节反向磁场。

3.3 引流降磁装备

3.3.1 引流降磁装备应具有随施焊区域磁感应强度的变化，动态调节引流量，产生大小可调节的反向磁场的功能。

3.3.2 引流降磁装备应由引流磁补偿装置和控制系统组成。

3.3.3 引流磁补偿装置应由电流调节器和机械开闭机构组成。

3.3.4 引流降磁装备应实时监测引流磁补偿装置的温度、电流，宜实时监测检修槽短路母线的温度、电流及检修槽、下游槽、上游槽的槽电压。

3.3.5 引流降磁装备应根据实时电流信号，计算施焊区域磁场分布。

3.3.6 根据施焊区域磁场分布，引流降磁装备应动态调节引流磁补偿装置档位，产生与原有磁场方向相反的可变磁场。

3.3.7 施焊过程中，检修槽母线或引流磁补偿装置的电流或温度出现异常时，引流降磁装备应发出报警。

4 引流磁补偿装置

4.1 电流调节器

4.1.1 电流调节器宜由多组能逐级断开或闭合的可调级电阻和固定级电阻组成。

4.1.2 电流调节器电阻材料宜采用铸铝，铸铝质量应符合现行国家标准《铝及铝合金加工产品化学成分》GB 3190 中含铝纯度高于99.6%工业纯铝的规定，且铁、硅含量比应大于1。

4.1.3 电流调节器的固定级电阻截面积 S 的选取可按下式计算：

$$S = \frac{k \times I}{N} \tag{4.1.3}$$

式中：k——截面积系数，宜为 $0.35\text{mm}^2/\text{A} \sim 1.00\text{mm}^2/\text{A}$；

I——铝电解系列电流值(A)；

N——每台电解槽的立柱数量。

4.1.4 可调电阻宜由若干刀片和静触头板组成，可调电阻级数宜为3级～8级，可调电阻总截面积宜为固定级电阻截面积的1倍～5倍。单个刀片接触电阻值应不大于接触面接触电阻的最大值 $r_{\max}$。

$$r_{\max} = \lambda / S \tag{4.1.4}$$

式中：$r_{\max}$——接触面接触电阻的最大值($\mu\Omega$)；

λ——接触电阻最大值经验系数，宜为 $5.0 \times 10^4 \mu\Omega \cdot \text{mm}^2$；

S——单个刀片的截面积(mm^2)。

4.1.5 额定电流下，电流调节器温升最高不应超过75K。

4.1.6 电流调节器单次调节的动作时间不宜超过10s。

4.2 机械开闭机构

4.2.1 机械开闭机构的功能应符合下列规定：

1 应能辅助安装引流磁补偿装置，并应能在引流磁补偿装置与铝电解槽母线联接过程中避免电弧伤害；

2 应具备手动和远距离电动两种操作模式，在远距离电动模式下压紧接触面时，操作人员应能通过手动操作模式断开接触面。

4.2.2 机械开闭机构的动力源选择应符合下列规定：

1 应具有过载保护功能；

2 断电状态下应实现机构自锁；

3 宜采用电机正、反转换向，不宜采用电磁阀换向。

4.2.3 机械开闭机构零部件材质宜采用奥氏体不锈钢。

4.2.4 机械开闭机构技术指标应符合下列规定：

1 断开压接口时间不应大于 200ms；闭合压接口时间不应大于 200ms；

2 电动操作模式下，对压接口施加的压紧力应大于 5kN；手动操作模式下，对压接口施加的压紧力应大于 1kN；

3 对立柱母线水平作用力的合力不应大于 1kN；

4 断开压接口时，电流调节器与下游槽立柱压接面最小设计间隙不应小于 50mm；

5 对铝电解槽通流母线系统绝缘电阻值不应小于 1MΩ。

5 控制系统

5.1 硬件要求

5.1.1 控制系统模件、设备应保证在铝电解现场环境下正常地工作。

5.1.2 控制系统应检测电压与温度信号；每个引流磁补偿装置根据其通流结构与机械开闭结构形式可设置1组或2组电流与温度信号检测点；信号采样周期宜为0.1s～1.0s。

5.1.3 宜在检修槽短路母线、检修槽立柱母线及下游槽立柱母线上设置电流与温度信号检测点。信号采样周期宜选择0.1s～1.0s。

5.1.4 连接电缆应符合下列规定：

1 控制分芯线截面不应小于1.5mm^2；

2 宜选用航空插头并配备防尘盖。

5.1.5 控制台的设计和布置应符合下列规定：

1 端子排、电缆夹头、电缆走线槽及接线槽宜由阻燃型材料制造；

2 控制台防护等级不应低于IP52；

3 应具有在500Gs以下的磁场环境中连续工作的性能；

4 宜具有手动控制引流磁补偿装置开闭的功能；

5 宜设置运行指示灯、报警指示灯、语音报警喇叭、启动按钮；

6 应设置吊环和滑动轮，且滑动轮直径不宜小于100mm。

5.2 软件要求

5.2.1 控制系统应具有下列模块：

1 数据监测和显示模块；

2　空间磁场分析和显示模块；

3　降磁控制和焊接指导模块。

5.2.2　降磁控制模块应支持下列焊接过程的降磁：

1　阴极钢棒端焊接降磁；

2　槽周围母线焊接降磁；

3　阴极软带的焊接降磁；

4　电解槽槽壳焊接降磁。

5.2.3　数据监测和显示模块应设有电压、温度信号的在线监测装置，并应具有下列功能：

1　操作状态显示，电压、温度采集数据的成组显示及报警显示等功能；

2　具有人员操作记录、设备运行记录、报警记录等功能；

3　具有历史数据存储和查询功能；

4　具有操作记录、事件记录、报警记录等的追忆功能，系统中不应提供人工清除的手段；

5　施焊过程中，应对偏流、过流、欠流、超温、上下游槽的异常工况进行声光报警；引流磁补偿装置的温度大于或等于300℃时，应发出报警。

5.2.4　空间磁场分析和显示模块应有下列功能：

1　应能根据实时温度、电压数据进行通流母线电流分析、计算施焊区域磁场分布、显示目标施焊区域的降磁效果；

2　应能根据施焊区域磁场分布，指导焊接过程模块动态调节引流磁补偿装置档位。

5.2.5　降磁控制和焊接指导模块应具有下列功能：

1　接收现场的操作指令，并能进行焊接区域与焊接位置的选择；

2　给出引流磁补偿装置的安装数量与安装位置；

3　指导设备的安装、拆卸和焊接作业；

4　引流磁补偿装置安装就位后，应给出各组引流磁补偿装置的闭合顺序；

5 焊接过程中，宜给出焊接区域、步骤与顺序；

6 焊接过程中，应根据焊接区域、焊接步骤与顺序，自动调节各引流磁补偿装置的电流量。

6 引流降磁装备安装与拆卸

6.0.1 引流磁补偿装置的安装应符合下列规定：

1 检修槽全部短路口应处于闭合状态；

2 检修槽的上游槽和下游槽单个母线电流不应超过设计值的30%，且不得处于阳极效应状态；

3 应按照从烟道端到出铝端的顺序吊装引流磁补偿装置就位，并应固定引流磁补偿装置与检修槽阳极母线的卡具；

4 根据控制系统的要求，应远距离控制机械开闭机构闭合引流磁补偿装置与下游槽母线接触面；并应固定引流磁补偿装置与下游槽母线接触面的夹具；

5 在铝电解槽间吊运引流磁补偿装置时，应采用具有防脱钩功能的专用吊具，不得直接使用钢丝绳或织物吊带；

6 在起吊状态下，设备整体偏角应小于5度。

6.0.2 引流磁补偿装置的安装应满足下列条件：

1 立柱母线尺寸偏差不应大于30mm；

2 短路母线尺寸偏差不应大于15mm；

3 阳极母线尺寸偏差不应大于10mm；

4 短路块相对风格板高度尺寸偏差不应大于50mm；

5 相邻槽阳极母线相对位置尺寸偏差不应大于100mm。

6.0.3 引流磁补偿装置的拆卸应符合下列规定：

1 检修槽全部短路口应处于闭合状态；

2 检修槽的上游槽和下游槽应未发生阳极效应；

3 应按照从出铝端到烟道端的顺序，先拆卸引流磁补偿装置与下游槽立柱母线的夹具，然后采用机械开闭机构拉开引流磁补偿装置与下游槽立柱母线的接触面；

4 应按照从出铝端到烟道端的顺序，拆卸引流磁补偿装置与检修槽阳极母线的卡具；

6.0.4 引流磁补偿装置与铝电解槽母线连接应符合下列规定：

1 通流接触面不平度应小于 0.2mm；

2 通流接触面最小压接面积可按下式计算：

$$S = k_1 \times I_1 \times n_1 \tag{6.0.4}$$

式中：S——最小压接面积(mm^2)；

k_1——经验常数，可取 $1.12 \times 10^3 mm^2/kA$；

I_1——连接导体的额定工作电流值(kA)；

n_1——压接面系数。压接面不平度小于 0.2mm 时，可取 1；压接面不平度大于或等于 0.2mm 时，应通过试验确定，最大值不宜超过 1.5。

6.0.5 引流磁补偿装置通流接触面夹紧力不应小于 20kN，数值可按下式计算：

$$W = PL / r_{中} \tan(\alpha + \psi_1) + r_1 \tan\psi_2 \tag{6.0.5}$$

式中：W——夹紧力(N)；

P——扳手力(N)；

L——扳手力作用点到螺杆中心距离(mm)；

$r_{中}$——螺旋中径的一半(mm)；

α——螺旋升角(°)；

ψ_1——螺母于螺杆的摩擦角(°)；

r_1——摩擦力矩计算半径(mm)；

ψ_2——工件与螺杆头部(压块)间的摩擦角(°)。

6.0.6 带电焊接过程中使用的电缆在电解车间内可采用明敷布线方式。

6.0.7 电缆明敷时，电缆与运行中的电解槽槽壳、通流母线、软带、钢棒等热介质表面的净距不应小于 1m；不满足要求时，应采取隔热措施。

7 焊　　接

7.1 一般规定

7.1.1 焊接环境出现下列任一情况时不得施焊：

1 采用气体保护焊风速大于2m/s，采用其他焊接方法风速大于10m/s；

2 相对湿度大于90％；

3 雨雪环境；

4 焊件温度低于－20℃；

5 检修槽一根或多根母线电流偏流大于或等于正常值的30％；

6 检修槽一根或多根母线温度大于或等于300℃；

7 施工人员未穿戴绝缘鞋等安全防护用品；

8 潮湿、积水的焊接施工作业条件；

9 因事故漏铝而停槽的电解槽，未对渗铝进行清除，且未采取相应的对地绝缘措施。

7.1.2 带电焊接步骤应按照控制系统的要求进行，宜将施焊区域划分成多个子区域，应采用分步降磁法，每个步骤可同时对1个～4个子区域进行降磁。

7.1.3 铝母线的焊接方法应符合现行国家标准《铝母线焊接工程施工及验收规范》GB 50586的规定；焊接接头焊缝质量应符合本规范第8章的规定。

7.1.4 阴极钢棒与铝-钢过渡焊片的接头焊接方法，应符合下列要求：

1 在阴极钢棒的下方宜焊接1片钢板，钢板的尺寸应符合设计要求；

2　阴极钢棒与铝-钢过渡焊片的连接，应采用钢质的连接片，连接片的尺寸应符合设计要求；

3　焊接时，宜使用拼装夹具，夹具上应有阻止或消除焊接变形的结构；

4　应一次连续焊接完成，连接片的焊接顺序应为先里后外，先下后上，焊完连接片两焊接端口后再覆盖后一连接片；

5　接头自然冷却至常温前，应避免振动或受力；

6　焊缝质量应符合本规范第8章的规定。

7.2　原　材　料

7.2.1　硬性铝母线料铸铝质量应符合设计要求；当设计无要求时，应符合现行国家标准《铝及铝合金加工产品化学成分》GB 3190有关含铝纯度高于99.6%工业纯铝的规定，且铁、硅含量比应大于1。

7.2.2　铝软带的质量应符合设计要求；当设计无要求时，应符合现行国家标准《一般工业用铝及铝合金板、带材　第1部分：一般要求》GB/T 3880.1和《一般工业用铝及铝合金板、带材　第2部分：力学性能》GB/T 3880.2中关于一般工业用铝带材的有关要求。

7.2.3　铝-钢过渡焊片的质量和外形尺寸应符合设计要求，当设计无要求时，应符合现行国家标准《铝母线焊接工程施工及验收规程》GB 50586的有关规定。

7.2.4　铝硬焊片料的质量应符合设计要求；当设计无要求时，应符合现行国家标准《一般工业用铝及铝合金板、带材　第1部分：一般要求》GB/T 3880.1和《一般工业用铝及铝合金板、带材　第2部分：力学性能》GB/T 3880.2中关于一般工业用铝板材的有关要求。

7.3　焊接材料

7.3.1　焊接材料应按照现行行业标准《焊接材料质量管理规程》

JB/T 3223 进行管理。

7.3.2 铝及铝合金焊条的质量应符合设计要求；当设计无要求时，应符合现行国家标准《铝及铝合金焊条》GB 3669 的规定。

7.3.3 铝及铝合金焊丝的质量应符合设计要求；当设计无要求时，应符合现行国家标准《铝及铝合金焊丝》GB 10858 的规定。

7.3.4 碳钢焊条的质量应符合设计要求；当设计无要求时，应符合现行国家标准《非合金钢及细晶粒钢焊条》GB/T 5117 的规定。

7.3.5 气体保护电弧焊用碳钢、低合金钢焊丝的质量应符合设计要求；当设计无要求时，应符合现行国家标准《气体保护电弧焊用碳钢、低合金钢焊丝》GB/T 8110 的规定。

7.3.6 铸铁焊条及焊丝的质量应符合设计要求；当设计无要求时，应符合现行国家标准《铸铁焊条及焊丝》GB/T 10044 的规定。

7.3.7 氩气应采用现行国家标准《氩》GB/T 4842 中一级以上的工业纯氩。

7.3.8 二氧化碳质量应符合现行行业标准《焊接用二氧化碳》HG/T 2537 的规定。

8 质量检验

8.1 降磁质量检验

8.1.1 降磁质量的测试应选用高斯计或特斯拉计作为测试工具。

8.1.2 测试位置应选择距焊接接头中心 5mm～10mm 处。

8.1.3 降磁质量的检验应以空间三维坐标 X、Y、Z 三个方向磁感应强度矢量和为判别基准。

8.1.4 降磁质量应符合本规范第 3.1 节的规定。

8.2 焊接质量检验

8.2.1 焊接施工及质量应符合现行国家标准《铝母线焊接工程施工及验收规范》GB 50586 有关要求。

8.2.2 焊缝外观的焊波应均匀，不得有裂纹、未熔合、夹渣、焊瘤、咬边、烧穿、弧坑和针状气孔等缺陷，焊接区应无飞溅残留物。

8.2.3 在阴极钢棒电流密度为 $0.2A/mm^2$ 的条件下，且平均距离在 100mm 的范围内，阴极钢棒端到铝-钢过渡焊片的铝端，电压降平均不应超过 10mV。

本规范用词说明

1 为便于在执行本规范条文时区别对待，对要求严格程度不同的用词说明如下：

1)表示很严格，非这样做不可的：

正面词采用“必须”，反面词采用“严禁”；

2)表示严格，在正常情况下均应这样做的：

正面词采用“应”，反面词采用“不应”或“不得”；

3)表示允许稍有选择，在条件许可时首先应这样做的：

正面词采用“宜”，反面词采用“不宜”；

4)表示有选择，在一定条件下可以这样做的，采用“可”。

2 条文中指明应按其他有关标准执行的写法为：“应符合……的规定”或“应按……执行”。

引用标准名录

《铝母线焊接工程施工及验收规范》GB 50586

《铝及铝合金加工产品化学成分》GB 3190

《铝及铝合金焊条》GB 3669

《一般工业用铝及铝合金板、带材　第1部分：一般要求》GB/T 3880.1

《一般工业用铝及铝合金板、带材　第2部分：力学性能》GB/T 3880.2

《氩》GB/T 4842

《非合金钢及细晶粒钢焊条》GB/T 5117

《气体保护电弧焊用碳钢、低合金钢焊丝》GB/T 8110

《铸铁焊条及焊丝》GB/T 10044

《铝及铝合金焊丝》GB 10858

《焊接用二氧化碳》HG/T 2537

《焊接材料质量管理规程》JB/T 3223

中华人民共和国行业标准

铝电解槽带电焊接技术规范

YS/T 5035 - 2016

条 文 说 明

制订说明

《铝电解槽带电焊接技术规范》YS/T 5035—2016，经工业和信息化部2016年7月11日以第37号公告批准发布。

本规范制订过程中，编制组进行了广泛深入的调查研究，总结了铝电解槽带电焊接技术及降磁装备在生产实践中的使用经验，使其与当前技术发展趋势、行业准入条件、工艺装备水平以及相关的国家现行法律、法规、规范保持了一致，对工程设计有着重要的规范作用和指导意义。

为便于广大设计、施工、科研、学校等有关单位人员在使用本规范时能正确理解和执行条文规定，《铝电解槽带电焊接技术规范》编制组按章、节、条顺序编制了本规范的条文说明，对条文规定的目的、依据以及执行中需注意的有关事项进行了说明。但是，本条文说明不具备与规范正文同等的法律效力，仅供使用者作为理解和把握规范规定的参考。

目　　次

1 总　　则

1.0.1 本条强调铝电解槽带电焊接作业及引流降磁装备技术要贯彻国家的基本建设方针，体现我国的技术经济政策，技术上把安全可靠放在首位，在设计的技术经济综合指标上要体现技术先进，同时要为运行创造良好的条件。

1.0.2 本条是对铝电解槽带电焊接及引流降磁装备技术的应用范围作出规定。

1.0.3 本条对铝电解槽带电焊接及引流降磁装备技术在配置和安装等方面作出技术规定。

1.0.4 本条为铝电解槽带电焊接的共性要求，充分考虑不同铝电解系列的具体情况和实践经验，制定适用的技术规定。本规范的一些条文规定具有一定的灵活性，要正确理解，合理运用。

3 引流降磁技术

3.1 一般规定

3.1.1 铝电解槽全电流下焊接受波动的直流电流产生的磁场影响，无法实现有效焊接，因此，需安装降磁装备将施焊区域的磁感应强度降至满足施焊的条件，方可实现有效焊接。同时，为保障人员和设备安全，降磁装备的安装与拆卸须严格遵守本规范的要求。

3.1.2 大量试验证明，在不大于 80Gs 的空间环境下进行钢材料焊接，才能实现焊透率不低于 70％的有效焊接。低于 70％的焊透率，会导致阴极钢棒与铝-钢过渡焊片的接触电阻增大，进而增加铝电解槽的生产电耗；同时，由于接触电阻增大，导致阴极发生偏流，阴极钢棒与铝-钢过渡焊片的电流密度增大，发热量增加，增加漏槽的风险，甚至发生生产事故。

3.1.3 大量试验证明，在不大于 40Gs 的空间环境下进行铝材料焊接，才能实现焊透率不低于 70％的有效焊接。低于 70％的焊透率，会导致铝母线的接触电阻增大，进而增加铝电解槽的生产电耗；同时，由于接触电阻增大，导致铝母线发生偏流，铝母线的电流密度增大，发热量增加，为生产安全带来隐患。

3.2 引流降磁原理

3.2.1 在施焊过程中，随着导电部位的焊接完成，电流走向及强度发生变化，施焊区域磁感应强度也随之动态变化。为保证良好的焊接质量，本条强调根据施焊区域磁场的变化，动态调节补偿磁场，使施焊区域的磁场满足施焊要求。

3.2.2 电解槽施焊区域的磁感应强度在焊接过程中动态变化，并且电解槽施焊区域的近端与远端相距约 15m～25m，在无法将整个施焊区域的磁感应强度同时降低至满足施焊要求的情况下，将电解槽施焊区域划分成若干子区域，分若干步骤将子区域的磁感应强度降低至满足施焊要求。

3.3 引流降磁装备

3.3.1 引流降磁装备是实现作为引流降磁技术的核心装备，需要根据施焊区域磁场的变化，动态调节补偿磁场，保证施焊区域的磁场满足施焊要求。

3.3.4 施焊过程中的电流、磁场是动态变化的，需实时采集动态电流值以计算动态磁场，同时可对施焊过程进行安全监控；另外，在引流磁补偿装置的安装和施焊过程中，若上游槽或下游槽发生阳极效应，会造成设备损坏，甚至会威胁作业人员的人身安全。因此，需实时监测上、下游槽的槽电压。另外，在引流磁补偿装置的安装和施焊过程中，当检修槽的某一根或某几根母线发生电流异常时，检修槽的槽电压会发生变化，因此，需实时监测检修槽的槽电压，以保证人员和设备的安全。

3.3.5 施焊过程中磁场随电流动态变化，为保证降磁效果符合焊接要求，需根据实时电流计算磁场，以制定相应的降磁策略。

3.3.7 施焊过程中母线电流偏流或温度过高，会对人员和设备的安全造成严重威胁，为保证人员和设备安全，当母线电流偏流或温度过高时，需发出报警。大量试验表明，母线电流偏差超过30％或温度高于300℃时，会对人员和设备安全造成威胁。

4 引流磁补偿装置

4.1 电流调节器

4.1.1 焊接过程中，一方面，检修槽焊接区域的磁感应强度处于动态变化之中。首先，检修槽的通流母线（包括立柱母线、阳极大母线、槽底短路母线以及辅助焊接用的引流磁补偿装置）的电流由于受系列电解生产的影响而动态波动；其次，焊接过程中，随着每组阴极与钢棒的焊接完成，阴极与钢棒本身成为电流的良导体将改变原有母线的通流量；再次，在进行阴极钢棒连接板的焊接中，随着每片连接板的焊接完成，阴极与钢棒将逐步导电，这也将导致焊接点的磁感应强度变化。实践应用中发现，在进行焊接作业时，电解槽母线电流和焊接点磁感应强度会随导体连接后动态变化，冷态碳素阴极及捣鼓糊可分担电解槽母线系统10%～20%电流。另一方面，由于电解槽的作业区域大多数在20m长、5m宽的约$100m^2$面积的大范围内进行。因此，所采用的降磁方法很难使电流分配器在一个固定状态下降低全区域目标焊接点的磁感应强度。在实际操作中，采用分区域、分步骤调节电流分配器分流量来进行焊接作业。综合上述两因素，电流分配器在整个焊接过程中的分流量并非固定值，而是需要根据通流母线的电流量及焊接目标区域的磁感应强度值进行动态调节。这就需在电流分配器设计时，考虑其调节范围与调节大小。在实践中，大多数采用多级变阻方式进行电流量的调节。

4.1.3 固定级电阻的设置，减少了引流磁补偿装置内的压接面，降低引流磁补偿装置的电阻，提高其最大分流量。在同样的分流量下，固定级电阻的设置有利于降低引流磁补偿装置的总重量与体积，便于在现场的移动与安装。固定级电阻的设置，使引流磁补偿装置有一个基础的分流量，将避免焊接的过程中分流量的动态变化对电解生产系列中上、下游槽的影响。

4.2 机械开闭机构

4.2.1 引流磁补偿装置接入或脱离铝电解槽母线系统时，连接处两端电压约20mV，电流分配器一般不能将通流导体完全断开，因此连接面会产生有害电弧而发生烧蚀，且操作人员不宜就近操作，通过机械机构远距离快速断开或闭合连接面是减少有害电弧的有效措施。

4.2.2 在铝电解槽强磁场环境的影响下，通过电动机正反转的方式驱动机械开闭机构是可靠且经济的，而普通电磁阀等元器件易受干扰，故不宜采用。

4.2.3 在强磁场环境下，机械开闭机构的结构组件优先选择弱磁性不锈钢是十分重要的设计原则，可以有效改善实际操作过程中的劳动强度。

5 控制系统

5.1 硬件要求

5.1.1 电解车间环境具有高粉尘、高温、高磁感应强度等特点，车间空气内还有一定的有毒氟化物，因此控制系统模件、设备等应具有足够的防护等级和有效的保护措施。

5.1.2 引流磁补偿装置检测电压与温度信号是系统进行电流分析的基础，通过电压、温度的数值可计算出引流磁补偿装置的电流通流量，进而可以此分析目标焊接点的磁感应强度变化情况。

5.1.3 在检修槽槽底母线、大修槽立柱母线及下游槽立柱母线上进行电压与温度的测试，也是分析各通流母线电流的基础，每根母线的电流变化都会引起相应目标焊接点的磁感应强度变化。

5.1.5 本条是对控制台设计和布置的规定：

1 阻燃型材料指用可燃性材料作基层，用不燃性材料作保护层的材料或在本体中加入阻燃物质的材料。该材料在空气中受到火烧或高温作用时，难起火、难微燃、难炭化，当火源移走后，燃烧或微燃立即停止。

6 控制台在电解车间内的使用位置是移动的，控制台跟随有焊接计划的电解槽而移动，因此，在控制台上有必要设置吊环和滑动轮。有的电解车间地面环境不很好，甚至有散落的电解质块、炭渣及其他颗粒与粉尘，若滑动轮直径过小，将影响控制台在电解车间的移动速度，带来一些不必要的麻烦。

5.2 软件要求

5.2.1 获取相应通流母线的电流并进行调节是降磁的关键，工业上简洁可行的对直流大电流实时监测方法是通过测试通流母线上的电压降和温度，再进行计算得到。控制系统要求有数据监测和显示模块，是为了获取电流值，并通过空间磁场分析和显示模块得到最佳的降磁效果。

5.2.2 通过调研、综合电解铝企业的电解槽焊接作业需求，可以获得焊接作业的基本内容。首先，在电解铝企业中，大修槽的阴极钢棒端即连接板与阴极钢棒、爆炸焊块的焊接是最基本的作业需求；其次，对于事故漏炉冲断槽底母线、阴极软带的焊接也是焊接作业的需求，而且，对于电解槽槽周母线的改造工程，槽底母线与软带间需进行一定的焊接工作；最后，部分企业还包括电解槽槽壳的焊接作业。

5.2.4 空间磁场分析是控制系统中降磁技术的基础，焊接目标区域的磁感应强度大小、所采取的降磁方法（包括引流磁补偿装置的接入位置、通流量等）以及最终的降磁效果，都基于此模块的分析、处理而进行。

5.2.5 本条对降磁控制和焊接指导模块应具的功能提出要求。

2 对于事故漏炉冲断槽底母线、软带等的焊接，在选择焊接区域与焊接位置后，可以指导引流磁补偿装置的安装台数与安装位置。

3、4 设备的安装、拆卸过程主要指引流磁补偿装置的闭合、断开顺序。引流磁补偿装置的闭合与断开均会造成原有电解槽电流通流状态改变，随着引流磁补偿装置接入、退出原有电路，将改变原有电路的电阻值，必然引起上、下游电解槽的电流波动，进而影响其阴、阳极电流的分布。因此，对引流磁补偿装置闭合、断开顺序进行指导即是将对上、下游电解槽的影响控制在最低范围内。

5、6 焊接过程中，随着每组钢棒施焊的完成，阴极钢棒将会成为导体，并将有电流流通，因而会在尚未进行焊接作业的施焊点处产生相应的磁感应强度，导致原有磁环境的改变，所以在实施焊接的过程中,需实时调节磁补偿。故本两款要求根据相应的焊接区域、焊接步骤与顺序自动调节各引流磁补偿装置的电流量,焊接作业人员也需严格按顺序、步骤进行焊接作业。

6 引流降磁装备安装与拆卸

6.0.2 由于长期运行的电解槽间工作环境复杂，尺寸变形、移位现象突出，故机械开闭机构设计的安装偏差要大于电解槽在施工建设阶段的允许偏差。本条所给数值均为现场实测统计数据。

7 焊　　接

7.1 一般规定

7.1.1 为保证人员安全与焊接质量，在本条强调的9种情况下，严禁施焊。

7.1.2 施焊过程中，随着导电部位的焊接完成，电流走向及强度会发生变化，磁场也随之动态变化，已完成焊接的导体通电产生的磁场会对未焊接区域产生影响，为避免这一问题，保证焊接质量，焊接步骤需严格遵守降磁装备控制系统的要求。

7.1.4 对于阴极钢棒与铝-钢过渡焊片的焊接方法，目前尚无相关的国家标准，因此，本条对阴极钢棒与铝-钢过渡焊片的焊接方法进行规范。